这是我的书 It's MY BOOK 7级：400字

了不起的动物

看这些孩子们

作者：程以克（Vicki Cheng）
配图：秦志宁（Zhining Chin）

北京语言大学出版社
BEIJING LANGUAGE AND CULTURE UNIVERSITY PRESS

PHOENIX TREE PUBLISHING INC.

识读 群 争 草原 离去
重伤 照顾

句型 ……从来……

字数 396字

zài dòng wù shì jiè li， yǒu de zǐ nǚ yě
在动物世界里，有的子女也
hěn ài fù mǔ。 bǐ rú， xiǎo xiàng de mā ma sǐ
很爱父母。比如，小象的妈妈死
qù yǐ hòu， xiǎo xiàng huì shǒu zài mā ma shēn biān，
去以后，小象会守在妈妈身边，
hěn jiǔ dōu bù xiǎng lí qù。
很久都不想离去。

sū gé lán dòng wù yuán li yǒu gè jiào luó
苏格兰动物园里有个叫罗
xī de xīng xing tā de mā ma nián lǎo qù shì yǐ
西的猩猩，它的妈妈年老去世以
hòu luó xī hěn nán guò tā yì lián jǐ gè xīng
后，罗西很难过，它一连几个星
qī dōu chī bu xià shuì bu hǎo yě bú xiàng píng
期都吃不下、睡不好，也不像平
shí nà yàng ài wán le
时那样爱玩了。

fēi zhōu yě gǒu duì nián lǎo de yě gǒu hěn guān
非洲野狗对年老的野狗很关

ài dāng nián lǎo de yě gǒu méi bàn fǎ wài chū zhǎo shí
爱。当年老的野狗没办法外出找食

wù shí nián qīng de yě gǒu men huì bǎ shí wù zhuāng
物时，年轻的野狗们会把食物装

zài dù zi li dài hui
在肚子里带回

lai zài tǔ chu lai gěi
来，再吐出来给

nián lǎo de yě gǒu chī
年老的野狗吃。

zài fēi zhōu cǎo yuán shang fā shēng guo zhè yàng yí
在非洲草原上发生过这样一
jiàn shì yí gè shī qún xiàng dōng zǒu qu tā men
件事：一个狮群向东走去，它们
xiǎng yào zhǎo gè xīn dì fang ān jiā shī qún li yǒu
想要找个新地方安家。狮群里有
yì tóu jiào mǎ lā de xiǎo shī zi tā yì biān zǒu yì
一头叫马拉的小狮子，它一边走一
biān huí tóu kàn zuì hòu tíng xia lai bù zǒu le
边回头看，最后停下来不走了。

shī zi shǒu lǐng ràng mǎ lā gǎn kuài gēn dà jiā yì
狮子首领让马拉赶快跟大家一
qǐ zǒu kě shì mǎ lā yí dòng yě bú dòng tā zhí zhí
起走，可是马拉一动也不动，它直直
de wàng zhe yuǎn chù de lìng yì tóu shī zi nà shì mǎ
地望着远处的另一头狮子，那是马
lā de mā ma mǎ lā cóng lái méi yǒu hé mā ma fēn kāi
拉的妈妈。马拉从来没有和妈妈分开
guo mā ma zài zhēng dòu zhōng shòu le zhòng shāng wèi le
过。妈妈在争斗中受了重伤，为了
bù yǐng xiǎng dà jiā tā jué dìng liú xia bù zǒu
不影响大家，它决定留下不走。

guò le yí huìr shī zi men kàn dào mǎ lā
过了一会儿，狮子们看到，马拉

xiàng mā ma pǎo qu le tā yào hé mā ma zài yì qǐ
向妈妈跑去了！它要和妈妈在一起，

bù guǎn liú xia lai yǒu duō dà de wēi xiǎn
不管留下来有多大的危险。

tīng shuō dòng wù shì jiè li zhǐ yǒu yì xiē cōng
听说动物世界里只有一些聪
ming de dòng wù cái rèn shi zì jǐ de jiā tíng hé fù
明的动物才认识自己的家庭和父
mǔ bǐ rú dà xiàng jīng yú xīng xing děng yě
母，比如大象、鲸鱼、猩猩等。也
yǒu bù shǎo dòng wù néng qù guān xīn zhào gù tóng bàn
有不少动物能去关心、照顾同伴
hé nián zhǎng zhě zhè zhēn shì hěn shén qí de shì
和年长者，这真是很神奇的事。

1 在动物世界里，有的子女也很爱父母。比如，小象的妈妈死去以后，小象会守在妈妈身边，很久都不想离去。

2 苏格兰动物园里有个叫罗西的猩猩，它的妈妈年老去世以后，罗西很难过，它一连几个星期都吃不下、睡不好，也不像平时那样爱玩了。

3 非洲野狗对年老的野狗很关爱。当年老的野狗没办法外出找食物时，年轻的野狗们会把食物装在肚子里带回来，再吐出来给年老的野狗吃。

4 在非洲草原上发生过这样一件事：一个狮群向东走去，它们想要找个新地方安家。狮群里有一头叫马拉的小狮子，它一边走一边回头看，最后停下来不走了。

5 狮子首领让马拉赶快跟大家一起走，可是马拉一动也不动，它直直地望着远处的另一头狮子，那是马拉的妈妈。马拉从来没有和妈妈分开过。妈妈在争斗中受了重伤，为了不影响大家，它决定留下不走。

6 过了一会儿，狮子们看到，马拉向妈妈跑去了！它要和妈妈在一起，不管留下来有多大的危险。

7 听说动物世界里只有一些聪明的动物才认识自己的家庭和父母，比如大象、鲸鱼、猩猩等。也有不少动物能去关心、照顾同伴和年长者，这真是很神奇的事。

1

2

3

4

5

6

看图讲故事

7